Dois em Um

Alice Ruiz S

DOIS EM UM

1º Lugar
51º Prêmio Jabuti - Poesia

ILUMINURAS

Capa
Michaella Pivetti

Revisão
Virgínia Arêas Peixoto

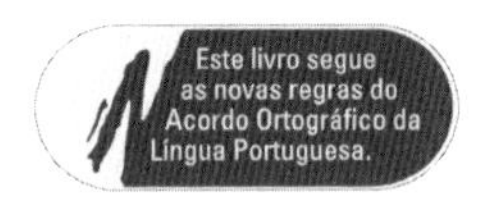

Primeiro Lugar *Prêmio Jabuti* de Poesia

Dados Internacionais de Catalogação na Publicação (CIP)
(Câmara Brasileira do Livro, SP, Brasil)

Ruiz S., Alice
Dois em um / Alice Ruiz S. São Paulo : Iluminuras, 2008 — 5. reimpressão.

ISBN 978-85-7321-275-4

1. Poesia brasileira I. Título.

08-01508 CDD-869.91

Índices para catálogo sistemático:

1. Poesia : Literatura brasileira 869.91

desde 1987
Rua Salvador Corrêa, 119 - 04109-070 - São Paulo/SP - Brasil
Tel./ Fax: 55 11 3031-6161
iluminuras@iluminuras.com.br
www.iluminuras.com.br

ÍNDICE

APRESENTAÇÃO, 9
Alice Ruiz S

VICE VERSOS
(1988)

NÓS

o corpo cede, 17
arde a vontade, 18
vara o dia, 19
escreva sol, 20
na esquina da consolação, 21
do jeito que as coisas vão, 22
nesta vida, 23
tem os que passam, 24
PERGUNTAS PARA OLINDA, 25
mesmo que eu morra, 26
PHOTOGRAFIA, 27
rapto um rito, 28
SETEMBRO, 29
tua mão, 30
hoje, 31
do que se reparte, 32
letras, 33
alguma vez, 34
como, 35
a noite, 36
queria tanto, 37
contar uma história de amor, 38
nefer nefer nefer, 39
PROJESOMBRAS, 40
de que seda, 41
primeiro de todos, 42
tua voz, 43
olhando assim, 44
a luz está acesa, 45
MEU TEMPLO, 46
hoje tem praia, 47
... DO MIRASIDERÁCULO,48
SONHO DE POETA, 50

MINIMAL

longe hoje, 53
ouvindo Quintana, 53
para onde foram, 54
a luz, 55

11/7, 56
é bom que as coisas mudem, 57
entre o bambu e o capim, 57
dia de todos os orixás, 58
casa sem criança, 58
lá vem ela, 59
canção zen, 59
voa um canto, 60
três traços, 60
aparecem às vezes, 61
primeira folha de outono, 61
primavera, 62
de noite, 62
saia da minha frente, 63
quanto mais longe vejo, 63
sou uma máquina, 64
já não guardo datas, 64
chuva, 65
de A a Z, 65
entre a terra e a lua, 66
só fico feliz, 66
página, 67
de hoje pra ontem, 67

RIMAGENS

a gente jamais imagina, 70
11/7, 71
apaixonada, 72
um marasmo, 72
se ao menos,73
se algum, 74
nada como a noite, 75
porradas de beleza, 75
seduzindo, 76
de tanto não poder dizer, 76
um signo que sonho, 77
o tempo leva, 78

PELOS PELOS
(1984)

lá vem essa emoção, 81
pra tirar leite das pedras, 82
primeiro verso do ano, 83
lembra o tempo, 84
na casa nova, 85
já estou daquele jeito, 86
há de vir no vento, 87
fazia noites, 87
saudade, 88
grama aparada, 89
a ikebana kamikaze, 89
boca da noite, 90
tanto tempo, 91
DIA D, 92
ainda me viro,93
assim que vi você, 94
depois que um corpo, 95
existir, 96
grande feito uma estrela, 96
você fica, 97
depois do beijo, 98
ruído de cigarros e palavras, 99
gosto à beça, 99
espero, 100
um sol ilumina, 101
Francisco conseguia, 102
minha voz, 103
meus pensamentos, 104
teu corpo seja brasa, 105
depois, 106

minuto a minuto, 107
quero fazer um verso, 108
já não temo os fantasmas, 109
responda, 110
você esqueceu?, 110
toda mudança, 111
brilho da lua cheia, 111
te procuro, 112
da noite da casa das honras, 113
apesar de todo, 114

PAIXÃO XAMA PAIXÃO
(1983)

topa um pacto de sangue, 117
daqui do meu lado do muro, 118
por uma só fresta, 119
poema, 119
perto do alvo, 120
OLHOS DE CAMÕES, 121
se eu não fosse poeta, 122
a festa que se afasta, 124
o vento, 125
pequeno, 126
enchemos a vida, 127
graça de praça, 128
noite, 128
dando à luz uma estrela da manhã, 129
um som, 130
sem luto, 131
uma noite, 132
daquela estrela, 133
a gente é só amigo, 134
sem saudade de você, 135
o formigueiro que você olhava, 136
o pó do tempo, 137
lendas gregas, 138
de novo, 139
um que outro junquilho, 140
verão, 140
treze anos, 141
amo esse reino dos sonhos, 142
a folha faz barulho, 143
nothing to lose, 144
que importa o sentido, 144

NAVALHANALIGA
(1980)

para Miguel Angelo Leminski, 147
dias e dias, 148
se eu fizer poesia, 149
sou uma moça polida, 150
o ai, 151
minhas, 152
o vento bate em mim, 153
minha estrela guia, 153
às vezes, 154
AQUI JAZ ALICE RUIZ, 155
pombos que voam, 156
nada na barriga, 156
Bem que eu vi, 157
enquanto você faz poesia, 158
luzes acesas, 158
tosse, 159
jamais amei um santo, 160
vontade de ficar sozinha, 161
formigas fazem festa, 162
borrada no espelho, 162
DRUMUNDANA, 163
faz de mim, 164
alma de papoula, 165

não se escandalize, 166
que viagem, 167
cada vez, 168
humilde, 169
elo, 170
não vai dar tempo, 171
cidades novas, 172
gaivotas magras, 172
sigo o vento, 173
me quer igual, 174
não vá fazer, 175
entre o mundo e eu, 176
passo o ano, 177
com essa ruga tão funda, 178
subi e desci a serra, 178
lá ia eu, 179
um olhar, 180
dizer não, 181
a chuva, 181
mãos de poeta, 182
um menor, 183
SE, 184
plantei uva, 185
NADA, 186
anda no meu peito, 187
passa correndo, 188
gotas, 189
presente de vênus, 190
nesse país sem greve, 190
A V SÃO, 191
luz da manhã, 192
falta de sorte, 192
tem palavra, 193
O que é a que é, 194

ATÉ 79

vamos fazer o seguinte, 197
o vento, 197
antes que eu te deixe,198
leve, 199
sentindo, 200
tudo começa, 201
algumas flores, 202
A BELA ADORMECIDA NO ESPELHO, 203
vai chorar, 204
verão, 204
CR$ 99,90, 205
olhar o mesmo olho, 206

SOBRE A AUTORA, 207

APRESENTAÇÃO

Samuel Leon que, com Beatriz Costa, é meu cúmplice na existência desse livro, comentou um dia que não tenho pressa em publicar. Ele tem razão.

Mário Quintana me contou, em entrevista, que seu primeiro livro foi publicado aos 34 anos porque não mais seria afetado nem pelo sucesso e nem pelo fracasso, citando Rudyard Kipling.

Helena Kolody, outra grande poeta do sul, encerrando o poema "Vida Intensa" escreveu: "...não te acovarde o apupo, a injúria, as injustiças. Nem te retarde o passo o aplauso que mereces".

Antes mesmo de ouvi-los, eu já assinava embaixo.

Navalhanaliga, meu primeiro livro, cuja edição foi presente de amigos, foi lançado em dezembro de 1980, um mês antes do meu aniversário de 35 anos.

A primeira publicação com a chancela editorial da Brasiliense do Caio Prado, e por iniciativa do Luiz Schwarcz, seu braço direito na época, foi *Pelos Pelos* em 1984. Reunia *Navalhanaliga*, *Paixão Xama Paixão* (edição presente de Paulo Leminski) e inéditos.

Os poemas que vieram depois foram reunidos em *Vice Versos*, lançado também pelo Caio, em 1989 e prêmio Jabuti do ano.

Mas nenhum dos dois livros teve uma segunda edição, em parte porque não me ocupei disso. Me ocupei de produzir novos poemas, letras e de compartilhar o prazer da poesia dando cursos de haikai e palestras sobre esses três gêneros poéticos.

Embora eu não possa dizer, categoricamente, o que é poesia.

Mas sei quando não é poesia.

Recentemente me ocorreu que os que nasceram quando esses livros foram publicados, já são leitores formados.

E muitos deles gostam de conversar comigo, coisa que descobri nos retornos que recebi de visitas ao meu site, que me foi presenteado e criado por Carô Murgel e é www.aliceruiz.mpbnet.com.br para quem tiver curiosidade.

Resumindo, acordei para o fato de que pode ser uma boa hora para *Pelos Pelos* e *Vice Versos* renascerem numa versão "Dois em Um".

E também, porque mesmo sem poder dizer o que é poesia, em poucas palavras, disse nessas páginas, o que é poesia para mim, pelo menos.

Bate o coração na boca.
Deixa louca ou besta.
Tira leite das pedras e lágrimas das feras.
É brisa que passa e deixa marca de brasa.
Um novo lugar para o sol nascer.
Uma forma sábia de saber.
Não tem conserto.
Se admira de si mesma.
Lê nos olhos e nos astros
Tem gosto de sal.
Palma áspera.
Se abre em sim.
Esconde sustos.
Fica um pouco em tudo, ainda.
Entende o que a ave diz.
Parece ter saído de alguma lembrança antiga.
Não suporta o pouco.
É frêmito efêmero.
Azula os dias.
Arranca dos pensamentos.

É um fantasma que falta.
Uma mudança que dança.
Um sim pra mim.
Tem pontaria certeira.
Entre as frestas.
Longe do alvo.
É uma festa que se afasta.
Ama o raro da impossibilidade.
Nos traz de volta.
Enche a vida, a casa e a praça de azaléias.
Amamenta uma estrela.
Faz o corpo pensar.
Disputa a primavera.
Perde a cabeça.
Não pede passagem.
Medita destinos.
Junca o capim.
Mantém vivo o verão.
Produz tesão.
Espia palavras.
Leva uma vida lascada.
Quer ficar só.
É estrela guia que atropela.
Desenha templos.
Faz chover melhor.
Não se escandaliza.
Olha com outros olhos.
Viaja parada.
É única para ser muitas.
Lua de outro sol.
Reflete o estranho.
Escolta barcas.
Papa o cata vento.
Nos tira daqui.
Passa pela minha janela.
Cai em golpes.
Só vai onde pisa.

Carrega o caminho.
Teima em viver.

E, principalmente,

não tem pressa.

No mais, poesia continua sendo um constante garimpo e frequente descoberta que se abre em cada livro. Ou poema.

Alice Ruiz S

VICE VERSOS
(1988)

Para
As luzes acesas
Áurea e Estrela

NÓS

o corpo cede
letras se sucedem
um verso doido aparece

morrem todas as sedes
movem-se pedaços de preces
sobe-se por onde se desce

arde a vontade
alguma coisa
difusa e vaga
alga marinha
sombra na lua

algo que surge
sonho e magia
um longo logo
um pra sempre
de repente
um quase ontem
onde?

vara o dia
varrendo a noite
cata um sonho
sonha um vento
algo que fique
por pouco
por muito pouco
um cisco que seja
algo que signifique

escreva sol
com restos
do sashimi
anote
no verso
do talão de cheque
chegue aqui
é menos que Vênus
é mais que arte
agora
escreva restos
e reste

na esquina da consolação
com a paulista
me perdi de vista
virei artista
equilibrista
meio mãe
meio menina
meio meia-noite
meio inteira
inteiramente alheia
toda lua cheia

do jeito que as coisas vão
até parecem felizes
comportando tanto impossível
nunca do jeito que são

coisas pelo contrário
pessoas perdem matizes
viram vultos sombras nadas
coisas quando serão?

nesta vida
não vai dar
pra definir
paixão

tantas são
de cada um
a lida
entre as idas
e vindas
do coração

tem os que passam
e tudo se passa
com passos já passados

tem os que partem
da pedra ao vidro
deixam tudo partido

e tem, ainda bem,
os que deixam
a vaga impressão
de ter ficado

PERGUNTAS PARA OLINDA

que papel faz um sorriso
entre o aqui e o paraíso?

e quando nada mais é preciso
que fazer com isso?

o texto que se decora
o aplauso que vem de fora
o outro que incorpora
nos bastidores escuros
também vão
quando a gente vai embora?

mesmo que eu morra
dessa morte disforme
o esquecimento
não lamento

viver ou morrer
é o de menos
a vida inteira
pode ser
qualquer momento
ser feliz ou não
questão de talento

quanto ao resto
este poema
que não fiz
fica ao vento
mãos mais hábeis
inventem

PHOTOGRAFIA

parar o tempo

por exemplo
dá que pára
numa véspera
de morte

ou

pelo contrário
em algum momento
de sorte

hoje
quem sabe
o tempo volte

rapto um rito
ri de mim
de você
o doce repto
de um rápido
minuto
instante indeciso
onde a luz
dos olhos
simula
um sorriso
onde a boca
sedenta
quer mais
que esse impreciso

SETEMBRO

não quero
rosa
mil flores
mil vezes
mil ventos
perfeita

por você
gira
terra
sol
girassol

maio
junho
julho
agosto
por pouco
não abril

tua mão
no meu seio
sim não
não sim
não é assim
que se mede
um coração

hoje
sou uma das coisas
raras do planeta
capaz de dar à vida
tudo que ela tem de luz

flor
que aberta
traria da água escura
o pólen, a fruta

dia
que tiraria
de dentro da noite
o lado oculto da lua

tão rara
e como eu
todas as sementes
que o vento arranca de tudo
e atira no nada

do que se reparte
amor
prazer
arte
é o que persiste

do que se divide
só o meio a meio
resta inteiro

o resto
não resiste

letras
se metem a palavras
querendo ser poesia

cigarras velhas
cantando
pela primeira vez
nada de novo

alguma vez
você já disse
eu queria morrer
agora
e não era o tempo
e não era você
e todo mundo
já tinha
ido embora?

como
se comigo
comete
um verbo
comer
se comedido
contém
um deus
se contido
consegue
ser meu?
quem
como
você?

a noite
mais longa
dessa vida

no céu
o cometa passa
na terra
meu pensar
te abraça

você
irmão
filho
amigo

não está
mas fica
enfim
comigo

queria tanto
fazer um poema hoje
uma canção que fosse
digna desse dia
com suas cores
brilhos e brisas

queria tanto
que esse poema me quisesse
e me fizesse um mimo
me desfazendo em risos

queria tanto
esse dia em versos
meu coração
deste bem diverso
para sempre
conservado
em seu próprio encanto

contar uma história de amor
por o fim pelo meio
um começo que não veio
nenhuma rima em or

cantar como quem resiste
resistir como quem deseja
meu versejar seja
o riso que te visite
a brisa que te festeja

não
tristeza não
essa é quando
a alma veste luto
e já não luta

peleja sim
coração
em busca de beleza

corre anda rasteja
só não deixa fugir
a vida que te beija

nefer nefer nefer
bela bela bela

uma nuvem talvez
desenha
o desejo em minha pele
toma
a forma do teu corpo
e me revela

minúsculos ímãs
atraindo espaços
pela boca seda
pela pele rima
pelos pelos sede

neve e fogo
força e febre
no movimento
o silêncio se bebe
e se embriaga

agora
aqui
no dentro do outro
estilhaços de estrelas

pleno de si
esse cio
eterno início
nunca se sacia

nunca nunca nunca
never never never

PROJESOMBRAS

por causa de Regina Silveira

no mundo das sombras
os objetos incham
grávidos de outras formas

silhuetas dissimulando similaridades
paródias e paradoxos
linearidades em desalinho

aqui
armas são a alma das louças
ali
projesombras milimetricamente calculadas

inauguram com humor
o outro lado do rigor

o primeiro plano
passa a pano de fundo
o que é o fundo?
o que é a figura?
o que é a coisa?
o que é a sombra?

em toda arte
as coisas sonham sombras

de que seda
é tua pele?

de que fogo
minha sede?

de que vida
tua vinda?

pedaço que padeço
sonho que teço

que jogo
nos vence?

cedo
mais cedo
do que penso

primeiro de todos
o coração ouviu
uma canção
citação
ponto mais alto
um salto
algo do nada
de que você é feito
eu apenas
parte desse efeito

tua voz
volta em sonho
volto solta
para a vida

a voz me falta

acordada
é esse sono
sem volta

olhando assim
                                        de lado
eu mesma   pra mim

já tenho
o meio do meu
mais ou menos
                                        eu

a luz está acesa
não importa
se você se importa
se você ora
ora não
ora sim
sempre acesa
chama perdida
chamando

a luz está tão acesa
toda ondas
se espraiando
olhando
por quem a veja

já não importa
se você está lá

a luz está

MEU TEMPLO

museu de todas as musas
todas fora de uso
na cela de Apolônio de Thyana
cai a poeira sobre o verso
nos jardins
passeiam vultos
frases em francês
sonhos em latim
mistérios de Guaita
Papus, Levy
se confundem
na canção de Lisle Adam
a luz do pôr-do-sol
para sempre lilás
vira símbolo
os sentidos
se cinestesiam
nas colunas
pentimentos
pressentimos apenas
só Rosala pode ler
vivos
todos os arquivos
o deus fogo, o deus tempo
atentos
decidem matar os mortos
entre as chamas
último entre todos
o templo se fantasma
e agoniza

hoje tem praia
até estando no Himalaia

tem Moonlight Serenade
completamente up-to-date

hoje tem lua
à luz do dia

tem desfile
carnaval
mesmo na rua vazia

até no nada
hoje tem tudo

e é só hoje

... DO MIRASIDERÁCULO

por causa de Haroldo de Campos

Janicéfalo Estelígero — aqui — serve de ambrosia ambivalente:
do jovial ao soturno, da venérea ao marcial.
Análogo com esse pernóstico progressivo e retrógrado aparente.
O fanático semáforo de sinos ensina o profano a desenhar estigmas
no cenho dos não insignes. Que signifiquem!
E fortuito derruba um carasterisco no empíreo.
Onde se vê * leia-se.
Sem consideração não verão o calendário das efemérides.
Superstive o signipecado original designatário.
Astéria consorte, anfíaster inaugural do acaso: síntese anarmóstica.
Harmoniza as lâminas e lança o passado, o presente e o futuro.
Intui, o aspecto é o desejado, a espécie é meiga.
Embora em má hora o clima é propício.
Ventura, um raio bruxuleante ascende,
contemplo o fatídico no auge que declina culminante.
Correspondência em conjunção, exaltação no exílio.
Afasta essa tola criança que a todos fere e não nos prestigie amar.
Analise a sina anátema do silfo, abstrato crônico, aceno obsceno.
Pronto e ativo ou leviano e caprichoso?
Teos tothem trimegisto, responde mas mente.
E as ordens do cosmos não são em código?
Baalzeusbu: condão e fascínio desfazer males.
Jovem que tales de amuleto, vindo como veio,
não vale um bétilo para o abade ancião de alta linhagem dos parricidas.
Sábado é festa.
Pode-se ter a certeza do dever cumprido e todas as saturnais pela frente.
Foi-se e sem foice ceifo no húmus Mandrágora.
Pela madrugada — Mandrákula, pela manhã — mãe d'água.
Está sempre em, todavia não se vê a não ser nos reflexos.

Há têmporas não nume.
Por macaréu, que ambiente ambissinistro!
Olha o relógio, onde estão teus mortos?
Há uma cruz nos teus montes e no médio está o eixo da vida.
Em tempo, viva.
Segundo o futuro, todos terão aríetes.
Bandeiras ao léu.
Eu sou apostalismânico para baixo do sol,
tema apolíneo em superfície óbvia.
Atenção, atônito, há um signo no ar.
Digno analema o meu, magnético mesmo em eclipse.
Alocer Diana, Alucifer Hécate, Aleluacer Selene.
Sinta, é tabu.
Sensação inexplicável, mensal, mental, menstrual.
Seguro se o astral cai, individualizado em dois.
Mistérios sidéreos libertos como por arte.
Angulares, sucedâneos, cadentes, outro ser?
No domicílio do decano seguinte, dominante.
Essa astrobélica casta de abutres
é de original intuição cósmica, ciência e aquaridade.
O que nos habita ante a queda de graus, crê,
mas não reina nesse mundo.
Hades há de ser o fim.
Sagaz morfeu contagia de orgasmo deus.
Asmodeu controla Eva e se desintegra a força da matéria.
O último paraíso perdeu-se...

SONHO DE POETA

Quem dera fosse meu
o poema de amor
definitivo.

Se amar fosse o bastante,
poder eu poderia,
pudera,
às vezes, parece ser esse,
meu único destino.

Mas vem o vento e leva
as palavras que digo,
minha canção de amigo.

Um sonho de poeta,
não vale o instante
vivo.

Pode que muita gente
veja no que escrevo
tudo que sente
e vibre
e chore
e ria,
como eu antigamente,
quando não sabia
que não há um verso,
amor,
que te contente.

MINIMAL

Para meus amigos japoneses
Haroldo de Campos
Helena Kolody
Itamar Assumpção
Julio Plaza
Paulo Leminski

longe hoje
você me quer pra ontem
e só vem amanhã

ouvindo Quintana
minha alma
assobia e chupa cana

para onde foram
lembranças que esquecemos
coisas
que
nunca
chegaram
a
ser?

a luz
no sorriso
dos teus olhos
alto risco

encaro

tudo que quero
não é mais preciso

11/7

pressupondo que existe
memória na morte
e dentro dela um calendário
feliz aniversário

é bom que as coisas mudem
é bom que permaneçam
assim como as que morrem
cresçam

entre o bambu e o capim
você pra mim
um de nós é um

dia de todos os orixás
diante de tanta beleza
Oxum chora

casa sem criança
e com pirulito
alguém tem coração bonito

lá vem ela
escorrega e cai
rindo como uma cega

canção zen
a brisa na lanterna
começa a dança

voa um canto
bem baixinho
água na asa
o passarinho

três traços
solto no espaço
um rigor de pássaros

aparecem às vezes
teias de aranha
com borboletas presas

primeira folha de outono
no chão começa
o meio do ano

primavera
até a cadeira
olha pela janela

de noite
um céu
de estrelas e pêssegos
de dia
um chão cheio
de coisas maduras

saia da minha frente
não jogue tua sombra
na minha, poesia

quanto mais longe vejo
mais luzes ficam
até o próximo reflexo

sou uma máquina
quando desligada
sonho que não sou

já não guardo datas
muda a paisagem
    muda a janela
volta a mesma
    lua de prata

chuva
tanto te amaldiçoei
até tua falta virar pranto

planto agora como um viva
meu primeiro agapanto

de A a Z
até no alfabeto
tem eu e você

entre a terra e a lua
minha alma
tua

só fico feliz
quando me encontro comigo
mas é tão ambíguo

página
que não dá poema
dá pena

de hoje pra ontem
passos antepassados
me orientam

RIMAGENS

a gente jamais imagina
a vida
por trás da página

11/7

a data de hoje
a data da tua vinda
fosse outro ano
seria vida

apaixonada
apaixotudo
apaixoquase

um marasmo
um mar a esmo
um você
que só eu mesmo

se ao menos
o já havido
pudesse ficar inteiro
pelo menos isso
e tudo seria
meio a meio

se algum
eventual evento
me lembrar você
sopro as cinzas da memória
ao vento
dê no que dê

nada como a noite
escurece
e tudo se esclarece

porradas de beleza
carradas de paixão
arrasando a razão

seduzindo
tarduzindo
noites indo

de tanto não poder dizer
meus olhos deram de falar
só falta você ouvir

um signo que sonho
um sonho que sim
assim fico
imagem gêmea de mim

o tempo leva
o poema
que o vento trouxe

por um momento
viver foi doce

PELOS PELOS
(1984)

Para
Paulo Leminski
Augusto de Campos
Caetano Veloso

Pela beleza

lá vem essa emoção
de novo
me batendo
o coração na boca
levando embora
tudo
que não me deixa louca

pra tirar leite das pedras
lágrimas das feras
e te deixar besta
o poema baste

primeiro verso do ano
é pra você
brisa que passa
deixando marca de brasa

lembra o tempo
que você sentia
e sentir
era a forma mais sábia
de saber
e você nem sabia?

na casa nova
um novo lugar
pro sol nascer
            de novo

já estou daquele jeito
que não tem mais conserto
ou levo você pra cama
ou desperto

há de vir no vento
admirado de si mesmo
esse advento

fazia noites
eu não te via
vagalume de dia

saudade
de ver salinas
sentir de novo
o cheiro do sol
nas retinas

tocar você
e ver você sentir
o que tem de sal
no meu gosto de menina

grama aparada
palma áspera
alma macia

a ikebana kamikaze
pratica harakiri
para virar haikai

boca da noite

na calada em silêncio
grandes lábios

se abrem em sim

tanto tempo
tonta de distância
refaço no espelho
cada traço
de nossa semelhança

o espaço que nos separa
vai ficando velho
só eu fico moça
na lembrança
de teus olhos de criança

DIA D

conter impulsos
cortar os pulsos
esconder sustos

ainda me viro
e me vejo
pronta a te chamar
a te contar que aprendi hoje
coisas que você soube

ainda te vejo
em cada bicho
em cada pensamento
me surpreendo olhando
com teus olhos de pesquisa
e o que vejo
vira beleza

ainda te sinto
em tudo que permanece
como se tua pressa
de vida que se extingue
ficasse um pouco em tudo
ainda

assim que vi você
logo vi que ia dar coisa
coisa feita pra durar
batendo duro no peito
até eu acabar virando
alguma coisa
parecida com você

parecia ter saído
de alguma lembrança antiga
que eu nunca tinha vivido

alguma coisa perdida
que eu nunca tinha tido

alguma voz amiga
esquecida no meu ouvido

agora não tem mais jeito
carrego você no peito
poema na camiseta
com a tua assinatura

já nem sei se é você mesmo
ou se sou eu que virei
parte da tua leitura

depois que um corpo
comporta
outro corpo

nenhum coração
suporta
o pouco

existir
não se resume
a esse momento
nunca

nesse momento
existir
se resume

grande feito uma estrela
pequeno feito uma estrela
um haikai tamanho

você fica
muito louco
muito branco
muito magro

o pó da estrada
que se afasta
é muito amargo

me sobra pouco
mas esse amar
eu sempre trago

depois do beijo
a dor na boca
dá saudade

agora
a saudade
da dor na boca

depois
saudade da saudade

ruído de cigarros e palavras
ainda escuto
o silêncio do teu beijo

gosto à beça
esse coração
na tua cabeça

espero
desde um telefonema
até um poema

espero
nem que seja
um problema
esse tema
que eu não toco
não porque tema
e sim
porque não entra
em nenhum esquema

espero
dentro da noite
algo que faça
com que eu gema

espero
e tudo é espera
nessa noite amena

menos teu nome
menos meu telefone
menos este verso
ou será um poema?

um sol ilumina
teu lugar
de pensar em mim

pensar que me ilumina
frêmito efêmero
dia que termina

Francisco conseguia
entender
o que a ave dizia

Bashô enxergava
a lágrima
no olho do peixe

minha voz
não chega aos teus ouvidos

meu silêncio
não toca teus sentidos

sinto muito
mas isso é tudo que sinto

meus pensamentos
cruzam os teus
como aviões no ar

da janela
os corações acenam
sem saber se vão voltar

teu corpo seja brasa
e o meu a casa
que se consome no fogo

um incêndio basta
pra consumar esse jogo
uma fogueira chega
pra eu brincar de novo

depois
de cada alegria
distraída
vem a dor
em igual medida

a árvore
que você plantou
cresce ainda
indiferente a tudo
sem nunca
se sentir traída

minuto a minuto
quis
um dia
todo azul
no teu dia

meu querer
quero crer
azulou
teu dia a dia
tudo
que podia

quero fazer um verso
com todos os elementos
meus encantos
meus lamentos
que atravesse
ares e mares
e te alcance
e te arranque
de todos os pensamentos

já não temo os fantasmas
invoco a todos
que venham em bando
povoar meus dias
atormentar minhas noites

entre tantos
loucos e livres
existe um
que é doce
e que me falta

responda
alguma coisa você tem que saber
nem que seja a pergunta

você esqueceu?
isso acontece
só os mortos
não esquecem

toda mudança
desse dia
uma dança

brilho da lua cheia
bate no vidro
estrela nova

te procuro
nas coisas boas

em nenhuma
encontro inteiro

em cada uma
te inauguro

da noite da casa das honras
à tarde da casa dos prazeres
a manhã da minha casa

apesar de todo
teu não
eu consigo
dizer só sim
pra mim

apesar de todo
teu sim
mais uma vez
eu digo não
pra mim

PAIXÃO XAMA PAIXÃO

(1983)

para o meu amor

topa um pacto de sangue
com essa cigana do futuro
que lê
o passado na tua boca
o presente no teu corpo
e nos teus olhos
tanto quanto nos astros?

daqui do meu lado do muro
espreito o mundo na sombra
da água fresca ganho
o que quero com um estalar
de dedos mas na hora certa
senão acordo o vizinho
uma pontaria certeira
vira o mundo do outro lado

por uma só fresta
entra toda a vida
que o sol empresta

poema
meu igual
vão dizer
é experimental

perto do alvo
longe de mim
a idéia de atirar

OLHOS DE CAMÕES

Em vossos claros olhos escondido
O lindo ser de vossos belos olhos
Com que os meus olhos foi escurecendo
E os olhos pelas águas alongava

Vossos olhos, Senhora, que competem
Mas contra vossos olhos quais serão?
De meus olhos vereis estar manando
As dos meus olhos, com que os seus se banhem

Olhos onde tem feito tal mistura
Olhos formosos, em quem quis natura
Nasceram lindas flores para os olhos

Os olhos meus de ver os vossos tira
Já não podeis fazer meus olhos ledos
Mas nos olhos mostrou quanto podia

poemontagem

***se eu** não fosse poeta*
te diria
o que é a tua presença
o que é a tua ausência
o que é minha vida
cheia de presenças
e de ausências

> *se eu não fosse poeta*
> *você saberia*
> *quando teu olhar me aperta*
> *tudo que silencio*
> *por não saber ser simples*
> *como uma gata no cio*

se eu não fosse poeta
não teria
essa estranha sensibilidade
que me impele
de ver tudo claro
que me faz amar o raro
de toda impossibilidade

> *se eu não fosse poeta*
> *poderia*
> *me desfazer*
> *de tanta lucidez*
> *e ficar louca*
> *ao menos uma vez*

se eu não fosse poeta
tudo seria
apenas um desejo
morto tão jovem
no primeiro beijo
ainda criança
ainda tão pequeno
ainda sem medo

se eu não fosse poeta
você entraria em mim
para ficar solto
em algum lugar
da lembrança
em vez disso
nada digo
e você fica preso
dentro do meu verso

a festa que se afasta
vem de outra
que se aproxima

lusco fusco
vai e vem
da festa
que nunca termina

o vento
vai me trazer

sopros
surpresas
você

o vento
vai me trazer
de volta

pequeno
tinha um pensamento

a selva
quando crescer

em algum lugar
na selva

corre grande
um pensamento

enchemos a vida
de filhos
que nos enchem a vida

um me enche de lembranças
que me enchem
de lágrimas

uma me enche de alegrias
que enchem minhas noites
de dias

outro me enche de esperanças
e receios
enquanto me incham
os seios

graça de praça
cheia de azaléias
cheia da minha casa vazia

noite
cadelas no cio
disputam a primavera

dando à luz uma estrela da manhã
toda luz da manhã
passou por uma estrela

amamentar a estrela
enquanto a via-láctea
tiver leite

um som
a emoção
adensa

um cheiro
a alma
tensa

um toque
o corpo
pensa

sem luto
pelo obsoleto
só
    ab
        so
            luto

uma noite

igual a essa
perco a cabeça
olhando sem parar
uma noite
igual a essa

daquela estrela
caiu Adão
músculo vão

mistério da costela
Eva sai do chão

em pânico, o paraíso
torce pra que seja perto

a gente é só amigo
e de repente
eu bem podia
ser essa mosca
perto do teu umbigo

sem saudade de você
sem saudade de mim
o passado passou enfim

o formigueiro que você olhava
voltou
ao seu lugar

você volta
a ver as formigas
no meu olhar

o pó do tempo
não pede passagem

plantas
por pouco
paisagem

lendas gregas
lendas negras

cheias de ditos
malditos
benditos

todos medito
todas me ditam
destinos

de novo
volto para meu amigo
trago um novo gosto
outra língua
terra estranha

volto aos poucos
para meu amigo
só que agora
já não trago
a alma comigo

gesto antigo
volto
de repente
para meu amigo
sou outra
outro é meu amigo

um que outro junquilho
ainda junca o capim
um dia trilha

verão
meus olhos vêem
não verão

treze anos
produzindo
poesia
prazer
paixão

esse hálito alimenta
treze anos
um só tesão

amo esse reino dos sonhos
onde você ainda cresce

essa luz nos meus olhos
onde você aparece

estar ainda viva
que assim a vida não te esquece

a folha faz barulho
tenha ou não tenha letras

já o silêncio faz ver
todas as coisas pretas

nothing to lose
nothing to choose
nothing to blues

que importa o sentido
se tudo vibra

NAVALHANALIGA

(1980)

para Miguel Ângelo Leminski
não era ainda pessoa
e já sonhava
não é mais pessoa
e ainda sonha

dias e dias
espio palavras
persigo letras

com sorte
saco mais rápido
pego todas distraídas

tiro
as que riem
as que conversam

as outras
vadiam

se eu fizer poesia
com tua miséria
ainda te falta pão
pra mim não

sou uma moça polida
levando
uma vida lascada

cada instante
pinta um grilo
por cima
da minha sacada

o ai

quando um filho

cai

minhas
linhas tortas
veias remotas

vejo
mapa de mina
carta de rima

labirinto
a obra prima
não veio

tudo que sinto

o vento bate em mim
abate a avenca
e entra

minha estrela guia
                         desvia
e me atropela

às vezes
vem a certeza
a vida agora
já foi vivida
era uma vez
uma menina
descobrindo a rotina

AQUI JAZ
ALICE RUIZ

viver ao ar livre
com o mínimo indispensável
morrer com dúvidas

pombos que voam
ou palmas que me chamam
pombos que voam

nada na barriga
navalha na liga
valha

Bem que eu vi

Ulisses andou por aqui

Circes e Ciclopes

Enquanto cinco ou seis

Tentavam Penélope

Atrás de um fio

tecendotecendotecendo

tecendotecendotecendo

tecendotecendotecendo

tecendotecendo

tecendotecendo

tecendo

Gertrude Stein

enquanto você faz poesia
eu
poeta
ouço a cotovia

luzes acesas
vozes amigas
chove melhor

tosse

tosse
o jardineiro
em cima da foice

a terra
por osmose
empalidece

tuberculose

jamais amei um santo
nem cantei um hino
só quero morar
contígua a um sino
som que continua
desenhando templos

vontade de ficar sozinha
só para saber
se você ia
ou vinha
quando deixou
esse bagaço
no meu peito
pedaço estreito
defeito na mercadoria
do jeito que você queria

formigas fazem festa
farelo de bolo
da véspera

borrada no espelho
não sei se me explico
uma cara que eu não pinto

DRUMUNDANA

e agora Maria?

o amor acabou
a filha casou
o filho mudou
teu homem foi pra vida
que tudo cria
a fantasia
que você sonhou
apagou
à luz do dia

e agora Maria?
vai com as outras
vai viver
com a hipocondria

faz de mim
gato e sapato
me desconcerta
me conserta
me espanta
me aperta
me acerta
me alerta
me espeta
me deita
e seu poder
mais alto
se levanta

alma de papoula
lágrimas
                    para as cebolas

dez dedos de fada
caralho
                    de novo cheirando a alho

não se escandalize

tudo isso
a gente pensa
quando entra
em transe
quando sai
da crise

que viagem
ficar aqui
parada

cada vez
mais branca
vendo
cada vez
mais verde

a tísica
de Cesário Verde
vende verdura

humilde

para ser uma

úmida

para ser duas

única

para ser muitas

elo espelho

entre rebelde

olho reflete

e o

olho estranho

não vai dar tempo
de viver outra vida
posso perder o trem
pegar a viagem errada
ficar parada
não muda nada
também
pode nunca chegar
a passagem de volta
e meia vamos dar

cidades novas
a terra
envelhece depressa

gaivotas magras
escoltam barcas
contra as vagas

Gilka Machado
sigo o vento
me espalhando
o rosto

me quer igual
qual mel
qualquer

não vá fazer
                    besteira
          cachorro
                    que cheira
cada pé que acha
procurando
                    quem o queira

entre o mundo e eu
a espera de um toque
o toque de recolher

passo o ano
esperando
o gosto
de um mês

um tempo
eterno
de novo
sempre
que entra
agosto

com essa ruga tão funda
por que não se enterra?
com essa terra tão grande
como é que não afunda?

subi e desci a serra
não trouxe nenhum verso
nenhuma muda de hera
no bolso do regresso

lá ia eu
toda exposta
àquele olhar
de garfo e faca
vendo
a mesa posta
minhas postas em fatias
ouvindo dos convivas
piadas macarrônicas

um olhar
me tira daqui
me atira
em quem
nem olha assim
me leva
a outros tempos
aqueles quando
se dizia
sim
por que não

atrás de nós
no rádio
a voz da razão
lembra o ano
manda esquecer
os que passaram
agora mesmo
num olhar

dizer não
tantas vezes
até formar um nome

a chuva
nas luzes das casas
uma é minha

mãos de poeta
cheias de lixo

nascer sem isso
cortar as mãos
salvar a poesia

enquanto não
o papel dessa mão
é contra o pó

a outra
de escrever

mesmo só
guardada no bolso
quer viver

um
menor
fora
espalha

SE

se por acaso
a gente se cruzasse
ia ser um caso sério
você ia rir até amanhecer
eu ia ir até acontecer
de dia um improviso
de noite uma farra
a gente ia viver
com garra

eu ia tirar de ouvido
todos os sentidos
ia ser tão divertido
tocar um solo em dueto

ia ser um riso
ia ser um gozo
ia ser todo dia
a mesma folia
até deixar de ser poesia
e virar tédio
e nem o meu melhor vestido
era remédio

daí vá ficando por aí
eu vou ficando por aqui
evitando
desviando
sempre pensando
se por acaso
a gente se cruzasse...

plantei uva
para o vinho
para as festas
para as passas
só deu batatas

NADA

PODE TUDO

NA VIDA

anda no meu peito
uma dor
anda
pula
deita
dança

baila dor
bailando nos lábios
dor bailarina

anda
vem menina
dançar comigo
atrás da cortina

anda vem menina
deitar comigo
que a noite ilumina

anda
vem comigo
ou de uma vez por todas
me elimina

passa correndo
pela minha janela
em cada menino
que passa por ela

gotas
caem em golpes
a terra sorve
em grandes goles

chuva
que a pele não enxuga
lágrima
a caminho de uma ruga

água viva
água vulva

presente de vênus
primeira estrela que vejo
satisfaça o meu desejo

nesse país sem greve
só o relógio
faz o que deve

A V SÃO
DO INDIVIS VEL
A PR VISÃO
NA PR VIDÊNCIA

luz da manhã
afagada em meu seio
apagada em meu céu
noite escura
lua de outro sol
que não sei

falta de sorte
fui me corrigir
errei

tem palavra
que não é de dizer
nem por bem
nem por mal
tem palavra
que não é de comer
que não dá pra viver
com ela
tem palavra
que não se conta
nem prum animal
tem palavra
louca pra ser dita
feia bonita
e não se fala
tem palavra
pra quem não diz
pra quem não cala
pra quem tem palavra
tem palavra
que a gente tem
na hora H
falta

O que é a que é

Usada e abusada.
Palpável mas ôca.
Amainada para mãe.
Acusada e recusada.
Calada e mal falada.
Alienada e esquecida.
Ordenada e ordenhada.
Solicita e solicitada.
Bordadeira e sempre à mão.
Afastada e bem abordada.
Moderada e bem adornada.
Dá à luz e vive escondida.
Transcende em descendência.
Mal informada forma pessoas.
Foi vocada a não ter vocações.
Sem necessidades, só caprichos.
Inclinada por instinto só ao lar.
Criticada e fadada à idade crítica.
Economica nada entende de Economia.
Domingo, dia do Senhor, não descansa.
O que no homem é estilo, nela é relaxo.
Não dá tom e dança conforme a música.
Chora quando não tem mais nada a dizer.
Consumidora voraz é vorazmente consumida.
É o que mais consta e o que menos se nota.
No dicionário figura como a fêmea do homem.
Para compreender não tem muito o que aprender.
A melhor paisagem atrás do buraco da fechadura.
Produz pouco porque já reproduz e isso lhe basta.
Não precisa ser atualizada mas deve andar na moda.
A força que dispende para ser frágil continua oculta.
As suas tentativas de participação recebem como intromissão.
Já que não tem responsabilidade não pode ter mau humor.
Tem que ser uma obra de arte que não fique para a posteridade.
Perde tanto sangue que fica com o que se chama por aí de "Sangue de Barata".
Dócil, meiga, sutil e submissa, deixa aos homens os defeitos correspondentes.
PRECISA-SE: TORNEIRO MECÂNICO, CONTADOR, ANALISTA DE SISTEMAS, ENGENHEIROS, ETC
COM CAPACIDADE COMPROVADA, E DE UMA RECEPCIONISTA COM ÓTIMA APARÊNCIA.
Pode escolher entre o céu e o inferno, mas a terra não, essa é do sexo oposto.
Entrave para a liberdade masculina através das traves da obediência.
Quanto mais espírito melhor, mas o futuro acaba junto com a beleza.
Se for grande é porque está por detrás de um grande homem.
Sempre esperando e levando a fama de se fazer esperar.
Seu entusiasmo é chamado de assanhamento.
Nascida para dentro aí ficará até
que a terra coma o resto que os
filhos e os homens deixam.
Faz par mas embaixo.

ATÉ 79

vamos fazer o seguinte
eu brinco de cantor
você de ouvinte

o vento
            papa
o cata
            vento

antes que eu te deixe
deixa eu dar um gole em você
ficar de porre até o verão

deixe uma dúzia de carinho
do mais terno
que dure todo o inverno

me conte um sonho
vou sonhar no outono

depois me deixe ir
se puder me espera
volto quando acabar
a primavera

leve
a semente vai
onde o vento leva

gente pesa
por mais que invente
só vai onde pisa

sentindo
com pressa
cada pedaço
carrega
um peso
o caminho

tudo começa
do mesmo jeito
diferente

o que se quebra
pesa mais
do que o sonho leva

como se o dia
não passasse
dessa noite

algumas flores
teimam em viver
apesar do tempo
apesar do peso
apesar da morte
apesar de algumas
que teimam em morrer
apesar de tudo

A Bela Adormecida no espelho

Há mulher mais bela que eu?

Olhar doce
azul turquesa
abertos à força de rímel?
olhos que não vêem
coração que não sente
fotografia em movimentos
suaves, suaves,suaves.
Do outro lado
pano de fundo
o mundo.
Retorno
contorno da boca
por dentro, catatonia
não transparece
na aparência oca.
Ombro reto
sobrancelha arqueada
falta pouco
para ser amada.
Caricatura, minha cara
ranhura na moldura
essa ruga
não devia estar aí
se multiplica
contra a vontade
no tempo gasto
para não deixar
aparecer o tempo

Me diga espelho meu

vai chorar
                    canta
vai falar
                    grita
vai andar
                    dança

verão
cai no outono
fruta madura

Cr$ 99,90

use amanhã
o impossível
de ontem

futuro com cheiro
de passado
oferta de ocasião

pelo clima
não desista
vista a capa
da revista

fim de estação
felicidade
a preço de liquidação

olhar o mesmo olho
com outros olhos
em outro olhar
o mesmo olho
nos mesmos olhos
o olhar do outro
de olho

ALICE RUIZ, MAS YUUKA

Curitibana, mas vive em São Paulo.
Já é avó, mas não abre mão da alma de menina.
Tem o Sol em Aquário, mas a assinatura astral é Libra.
Considera-se ambiciosa, mas só tem uma ambição: viver de poesia.
Vive para as idéias, mas não aceita o título de intelectual.
Trabalha muito, mas produz melhor na preguiça.
Defende a verdade, mas faz poesia de ficção.
Nunca quis ser professora, mas dá aula de haikai.
Já ganhou alguns prêmios literários, mas diz que o maior é seu nome de haijin.
Publicou 14 livros, mas ainda não publicou seu favorito que é sempre o próximo.
Adora viver sozinha, mas prefere trabalhar em parceria.
Faz letras de música, mas queria ser cantora.
É casada com a palavra, mas tem um caso com a música.

LIVROS DE POESIA: Navalhanaliga, Paixão Xama Paixão, Pêlos Pelos, Vice-Versos, Hai Tropikai (com Paulo Leminski) , Rimagens (com Leila Pugnaloni) , Nuvem Feliz, Desorientais, Poesia pra Tocar no Rádio, Yuuka.

LIVROS DE TRADUÇÃO: Dez Haikais, Céu de Outro Lugar, Sendas da Sedução (com Josely V. Baptista), Issa.

LIVRO SOBRE ELA: Alice Ruiz, Série Paranaense, UFPR

CDs (exclusivamente de suas letras): "Paralelas", em parceria com Alzira Espíndola. Participa interpretando poemas.

EM BREVE: Canções com Itamar Assumpção, ainda sem título. E "No País de Alice", com Rogéria Holtz.

CANÇÕES: *Parcerias com*: Itamar Assumpção, Alzira Espíndola, Arnaldo Antunes, José Miguel Wisnik, Zeca Baleiro, Waltel Branco, João Bandeira, Paulo Tatit, Edgar Escandurra, Chico César, João Suplicy, Ceumar, Iara Renó, Marcelo Calderazzo, Ivo Rodrigues, Estrela Leminski.
Gravações, além dos parceiros citados, de: Cássia Eller, Zélia Duncan, Adriana Calcanhoto, Gal Costa, Rogéria Holtz, Titane, Carlos Navas, Isa Taube, Tonho Penhasco.

A *Iluminuras* dedica suas publicações à memória de sua sócia Beatriz Costa [1957-2020] e a de seu pai Alcides Jorge Costa [1925-2016].